Lire avec Maman
LE CHAT BOTTÉ

Texte de Janet Brown
Illustrations de Ken Morton

EDDL

Les trois fils d'un meunier habitaient dans un vieux moulin. L'aîné avait hérité du moulin, le cadet possédait une âne. Et le benjamin n'avait rien d'autre que le chat de son père.

« Hélas ! » se lamentait le garçon, « je suis trop pauvre pour pouvoir te nourrir, petit chat ! »

« Ne t'inquiètes pas » dit le chat. « Achète-moi une paire de bottes et un sac et je ferais notre fortune. » Le garçon fut si surpris qu'il dépensa ses dernières pièces pour acheter ce que le chat lui avait demandé.

Que demande le chat au plus jeune fils du meunier ?

Le chat se servit de ses bottes pour attraper un beau lapin. Il le mit dans son sac et se mit en chemin pour le palais.

« Je suis le Chat Botté ! » annonça-t-il au Roi. « Acceptez un cadeau, votre majesté. De la part du Marquis de Carabas ! »

« Un chat qui parle ? » dit le Roi. « C'est bien curieux, mais dis à ton maître que j'accepte son cadeau. »

Quel est le nom du maître du chat?

Le lendemain, le chat attrapa deux belles perdrix. Puis, il se mit en route pour le palais.

« Je suis le Chat Botté ! » annonça-t-il au Roi. « Acceptez un cadeau, votre majesté. De la part du Marquis de Carabas ! »

« Comme ce marquis est généreux ! » dit le Roi. « Tu peux dire à ton maître que j'accepte son cadeau, avec les remerciements du Roi »

Quel est le second cadeau que le chat fait au Roi?

Le lendemain, le Chat Botté emmena le fils du meunier vers la rivière. « Il faut que tu ailles nager » lui dit le chat. « Mais quand le Roi et la princesse passeront devant toi, il faudra que tu fasses tout ce que je te dirais. »

Alors que le carrosse royal arriva, le chat courut sur la route. « Au secours ! » dit-il. « Des voleurs ont dérobé les habits de mon maître ! »

« De mon vivant, aucun Marquis ne restera tout nu ! » dit le Roi. Et il envoya ses laquais chercher son plus bel habit pour vêtir le jeune homme.

Bientôt, le fils du meunier se retrouva vêtu comme un prince, dans le carrosse en compagnie du Roi et de la belle princesse.

Pourquoi le Roi envoie-t-il ses laquais chercher son plus bel habit ?

Le Chat Botté avait pris de l'avance. Il vit des laboureurs dans un très beau champ. « Le Roi arrive ! » dit le chat. « Il faudra lui dire que ce champ appartient au Marquis de Carabas. »
Et il leur donna un peu d'argent.

Chemin faisant, il vit des paysans dans un beau champ de maïs doré. « Le Roi arrive ! » dit le chat.
« Il faudra lui dire que ce champ appartient au Marquis de Carabas. »
Et il leur donna un peu d'argent.

Que demande le chat aux paysans ?

Quand le carrosse passa devant, le roi demanda « À qui appartient ce beau champ ? »

« À notre maître, le Marquis de Carabas » dirent les laboureurs en s'inclinant respectueusement.

Alors que le carrosse poursuit sa route, le roi demanda : « À qui appartient ce champ de maïs ? » « À notre maître, le Marquis de Carabas » dirent les paysans en s'inclinant respectueusement.

Le Roi en fut très impressionné.

Pourquoi le Roi est-il impressionné ?

Pendant ce temps, le Chat Botté était arrivé au château d'un méchant ogre.

« J'ai entendu dire que vous étiez très fort » dit le chat. « Il paraît que vous pouvez vous changer en animal. »

« C'est la vérité » dit l'ogre. Et il se transforma en un lion féroce et rugissant.

Le Chat se mit à l'abri au-dessus d'un placard.

« Il paraît même que vous savez vous changer en petit animal ! » dit le chat.

« C'est la vérité » dit l'ogre. Et il se transforma en une toute petite souris.

Le chat bondit et avala la souris d'un coup !

En quoi se transforme l'ogre ?

Quand le carrosse royal arriva devant le château de l'ogre, le Chat Botté s'inclina devant le Roi en lui annonçant, « Bienvenue dans la demeure de mon maître, le Marquis de Carabas ! »

Le Roi se tourna alors vers le fils du meunier et lui dit : « Vous êtes vraiment un homme de qualité. Votre chat parle et il me porte des cadeaux, vous possédez les plus belles terres, et vous habitez dans le plus beau château du Royaume. Vous serez un époux idéal pour ma fille ! »

Pourquoi le Roi offre-t-il la main de sa fille
au fils du meunier?

Le fils du meunier devint prince, se maria avec la princesse, et ils vécurent heureux dans le château de l'ogre.

Quant au Chat Botté, il a raccroché ses bottes et passe le plus clair de son temps près du feu, à vivre une vraie vie de chat.

Maintenant que sa tâche est accomplie,
que fait le chat de ses journées ?

Regarde attentivement ces deux images.
Elles ont dix différences. Peux-tu les retrouver?

10. Boucle sur la botte du chat
9. Queue du chat
8. Brique sur le mur
7. Fenêtre
6. Pantalon du Roi
5. Bordure de la cape
4. Barbe du Roi
3. Couleur du Roi
2. Pieds du trône
1. Haut du trône